*Collection folio benjamin*

ISBN 2-07-039062-4
Titre original: Die Nase.
Publié par Insel Verlag, Francfort-sur-le-Main.

Dépôt légal: Février 1982.
Numéro d'édition: 29 152.
Imprimé en Italie.

# Le nez

texte de
Rainer Malkowski
d'après la nouvelle de
Nicolas Gogol
traduit par
Yves-Marie Maquet
illustrations de
Rolf Köhler



Gallimard

Bizarre, ce qui se passe sur notre terre : les poules donnent des œufs et les œufs donnent des poules ; des étoiles se décrochent et tombent, laissant à peine une trace dans le ciel nocturne ; une île verdoyante s'abîme au plus profond des eaux ; une montagne couverte de neige explose sans prévenir et quiconque se trouve à l'entour disparaît sous une pluie de cendres.
Bizarre... Le sol se met à bouger si violemment que rien ne résiste : les maisons se disloquent, les clochers s'effondrent, les villes s'anéantissent et, avec elles ou sous leurs décombres, meurent les gens qui les habitent.

Bizarre... à moins que... pourquoi pas ?
Vous trouverez peut-être normal qu'un beau matin tout un chacun découvre un nez dans son pain. Oui, un nez ! Un vrai nez d'homme : long, pointu, agressif ; un nez de chair au milieu d'une boule de pain toute chaude et qui sent encore le four.
Difficile à admettre, n'est-ce pas ?
C'est pourtant ce qui est arrivé à Ivan Yakolevitch. Je dois à la précision d'ajouter que cela se passait le 25 mars dernier à Petersbourg, la capitale de toutes les Russies.

Ivan Yakolevitch n'était pas un délicat. Ni un raffiné. Ni un sentimental. Chaque jour lui apportait son lot de têtes hirsutes et sa main devait rester sûre, qu'elle eût à conduire peigne et ciseaux dans un imbroglio de cheveux sales ou à raser une barbe aussi touffue que la forêt équatoriale : Ivan Yakolevitch avait le cœur assez bien accroché pour exercer son métier sans jamais sourciller. Mais, tout de même, ce nez dans un quignon de pain, c'était plus qu'il n'en pouvait supporter au petit déjeuner !
Il emmaillota l'organe dans un méchant chiffon qu'il glissa dans sa poche, et sortit furtivement.

– Je vais le jeter au fleuve, pensait-il. Avec le chiffon ! Personne n'en saura jamais rien. Heureusement. Sinon... j'entends d'ici la rumeur : « Ivan Yakolevitch ? Ah oui, le barbier aux doigts dégoûtants. Peut-on laisser pareil maladroit manipuler rasoir aussi tranchant ? Figurez-vous qu'il a coupé le nez de l'un de ses clients ! » Sale histoire... Le diable doit bien y être pour quelque chose... Sinon, comment expliquer qu'un nez...
Maintenant, c'était fait, il en était débarrassé. Le vilain appendice devait tournoyer deux ou trois tourbillons plus loin. A moins qu'il n'ait immédiatement coulé...

Mais, laissons cela. Les faits et gestes d'Ivan Yakolevitch ne méritent pas qu'on s'y attarde. Il est beaucoup plus important d'essayer de savoir qui est le propriétaire du nez. Soyons logiques : s'il existe, dans Petersbourg, un nez tout seul, séparé du corps auquel il appartient, alors doit se trouver, dans Petersbourg, un homme qui a perdu son nez.

En effet... L'homme sans nez s'appelait Kovaliov. Platon Kousmitch Kovaliov, assesseur de collège caucasien, c'est-à-dire fonctionnaire. Il se faisait appeler monsieur le Major et vivait avec son serviteur Ivan, lequel était un peu benêt et passait ses journées sur un divan à cracher au plafond.

Or, ce 25 mars, Platon Kousmitch Kovaliov allait avoir d'autres chats à fouetter que son valet Ivan. Car lorsqu'il s'examina dans la glace pour vérifier qu'il avait le teint reposé – une habitude de tous les matins – il s'aperçut de la disparition de son nez. Puis il en établit le fait incontestable : à la place, il n'y avait rien, rien du tout, absolument rien !
Il laissa choir le miroir et appela son domestique :
– Arrive ici, bon à rien ! C'est tout le soin que tu prends de ton maître ? Je m'endors en confiance ; je me réveille et pfuit... plus de nez. Je n'ai plus de nez ! Où est-il passé ? Réponds, imbécile !
Ivan resta muet de stupéfaction.

Le major décida d'aller trouver le commissaire principal du quartier. Il estimait que les autorités devaient être informées de ce genre d'affaires.
Il attrapa un mouchoir et s'en couvrit le visage à la manière d'un enrhumé. A ceci près qu'il n'avait plus de nez et, par conséquent, ne pouvait ni se moucher ni éternuer. Il entra au grand café pour se regarder dans l'un des miroirs qui ornaient les murs. Hélas, il ne rêvait pas : son nez avait bel et bien disparu.
Elle vous étonne, cette histoire ? Admettez qu'elle n'est guère plus surprenante que ce qu'il vous arrive d'imaginer la nuit . Pensez à ces gnomes couleur de lune qui enjambent la fenêtre de votre chambre... Pensez à cet éléphant des Indes, ce bel éléphant blanc, qui vous emmène à la poursuite du tigre mangeur d'hommes, alors que vous dormez.

Pauvre Platon Kousmitch Kovaliov !
Il sortit du café et se mit en route, branlant du chef et marmonnant dans son mouchoir. Tout cela lui paraissait troublant... C'est-à-dire que tout cela tenait à la fois du trouble de l'ordre public et du trouble de l'ordre des choses... Seul le diable pouvait...
Il en était là de ses réflexions lorsqu'il arriva au commissariat principal du quartier. Un fiacre venait de s'arrêter devant l'entrée. Un homme sauta à terre, gravit les marches, disparut dans le bâtiment ; un homme vêtu d'un uniforme à galons d'or et qui ressortit à l'instant. Un homme ? Pas exactement, vu que c'était son nez !
Le major pensa perdre la raison. Son nez, son propre nez, ce nez qu'hier encore il portait en plein milieu du visage, ce nez qui ne pouvait pas plus marcher que se promener en voiture, ce nez-là, il venait de l'apercevoir, dans un uniforme chamarré, coiffé du chapeau de conseiller d'Etat.
Il voulut crier :
– Vous, écoutez-moi ! Oui, vous ! Quel est ce sortilège ?

Mais les mots lui restèrent dans la gorge.
Le nez remonta en voiture et s'éloigna à vive allure. Par chance, il s'arrêta presque tout de suite, devant la cathédrale. Le major s'élança et le retrouva dans le lieu saint.
L'étrange silhouette s'agenouillait sur un prie-Dieu. Kovaliov l'attrapa par le col et l'attira vers le bas-côté pour discuter. Le nez se défendit énergiquement d'être le moins du monde lié à son interlocuteur. Il parlait du nez :
– Vous vous trompez, bonhomme, je n'appartiens qu'à moi-même !
Sur quoi, il retourna à ses prières.
Malheureusement pour ses affaires, Platon Kousmitch Kovaliov fut un moment distrait par l'arrivée d'une fort jolie personne: le frou-frou de la robe de soie le fit se retourner ; il oublia ce qui manquait à son visage, rajusta le col de sa chemise et s'inclina profondément devant l'aimable jeune femme.
Lorsqu'il se redressa, le nez avait disparu.

Il se précipita hors de l'église pour faire enfin sa déclaration au commissaire principal du quartier. Mais, celui-ci était absent et son lieutenant ne semblait pas vouloir prendre en charge cette affaire de nez volage. De fait, le fonctionnaire de police bâilla un «Revenez la semaine prochaine » aussi décourageant que la botte qu'il venait d'ôter. Ce fut le seul instant de la journée où le major ne regretta pas son nez. Il sortit, alors que le rebutant personnage s'installait aussi confortablement que possible pour une petite sieste. Le major pensa que, pour désagréable qu'elle fût, sa situation n'était pas la pire qu'on puisse imaginer. Vous auriez pu perdre la tête, Platon Kousmitch Kovaliov ! La tête, en effet... S'il avait perdu la tête, il n'aurait pas pu avoir cette idée qui lui venait maintenant et qui allait le tirer de ce mauvais pas, il en était certain : une petite annonce dans les journaux ! Imprimée en caractères gras ! Quant au texte, c'était simple, il inviterait quiconque rencontrerait son nez à s'emparer de lui, ou à le suivre pour découvrir son lieu de résidence.

Au journal, c'était la presse. Comme si, précisément ce jour-là, la moitié de Petersbourg avait voulu faire publier une petite annonce : un baril de beurre à vendre, un poulet qui s'était enfui, un terrain à acquérir à l'entrée de la ville pour y planter des citrouilles et des betteraves, tous les motifs étaient bons. Le major dut s'armer de patience, jusqu'à ce qu'arrivât enfin son tour.

L'employé du journal renifla, se glissa la plume dans la bouche, recompta les pièces de cuivre qu'il venait d'encaisser, en fit une pile qu'il rangea dans la boîte qui se trouvait devant lui, puis, tranquillement, se tourna vers le major.

– Je vois, je vois, dit-il en relisant le texte qu'il venait de prendre sous la dictée. Vous avez perdu votre nez ? Lequel se promène dans les rues de Petersbourg. En fiacre, dites-vous. Et vous souhaitez qu'on vous le ramène... Non, monsieur le Major. Nous ne ferons pas paraître cette annonce. Nous avons le devoir d'être sérieux. On ne nous reproche que trop d'imprimer n'importe quoi.

Platon Kousmitch Kovaliov ne savait plus quel parti prendre. Il s'en retourna chez lui. Là, il s'affala dans un fauteuil, s'en remit à sa tristesse et soupira :

– Qu'ai-je fait pour mériter ce malheur ?

Il n'eut pas le temps d'envisager la moindre réponse, car un bruit de voix se fit entendre sur le palier. Un instant plus tard, Ivan fit entrer un agent de police.

– Vous êtes le sieur Kovaliov, Platon Kousmitch ? demanda l'homme en uniforme.

– En personne, répondit le major.

Le policier fouilla dans sa poche et en sortit un morceau de papier d'où il fit apparaître un nez.

– C'est lui, hurla le major. C'est lui, je le reconnais !

Bizarre... Ce matin encore, le nez de Platon Kousmitch Kovaliov sillonnait Petersbourg en voiture, superbement vêtu d'un uniforme de haut fonctionnaire et maintenant, il était là, sur la table, pauvre petit morceau de chair ayant retrouvé l'insignifiance de sa forme originelle. Avec d'infinies précautions, le major approcha pouce et index, comme les deux mâchoires d'une pince, saisit l'organe, le posa au creux de son autre main et l'examina. Puis il se rua devant un miroir et tenta de le remettre en place. Sans succès : le nez ne tenait pas. L'infortuné major souffla dessus, comme pour l'épousseter et l'appliqua de nouveau sur son visage. Rien à faire : ce maudit bout de viande se refusait à adhérer.

En désespoir de cause, Kovaliov fit appeler son médecin. Le praticien n'avait jamais vu semblable cas depuis qu'il exerçait la médecine et ne lui fut d'aucun secours.

Entre-temps, la rumeur s'était emparée de l'événement. Dans la rue, les gens posaient des questions. On voulait des nouvelles du nez de Kovaliov. Mais, bien entendu, personne ne savait quoi que ce soit de précis.
Le bruit courut que tel jour à telle heure, le nez se trouverait chez le drapier Junker.
En fait de nez, l'on n'aperçut, ce jour-là, dans la vitrine, qu'un vulgaire gilet de laine, ainsi qu'une lithographie exposée là depuis dix ans et qui représente un petit maître à barbiche épiant, de derrière un arbre, une jeune fille en train de rajuster son bas.

Ce qui s'est réellement passé pendant la période précédant le 7 avril, personne ne l'a su. Même les habituels perceurs de secrets en furent pour leurs frais, l'énigme résista.
Toujours est-il que le 7 avril, à son réveil, Platon Kousmitch Kovaliov se regarda dans son miroir et se découvrit à nouveau pourvu d'un nez. Il tâta, palpa et retâta : le doute n'était pas possible, c'était son nez, bien placé, là d'où il n'aurait jamais dû s'en aller.
Pour un peu, Platon Kousmitch Kovaliov aurait dansé de joie dans sa chambre.

Le major se réjouit à l'idée de reprendre une vie normale. Il allait pouvoir se montrer à l'humanité et envoya quérir son barbier pour que ce fût sous son plus bel aspect.
Son barbier, vous le savez, c'était Ivan Yakolevitch, l'individu qui, un beau matin, avait trouvé un nez dans son pain.
Ivan Yakolevitch fut soulagé lorsqu'il vit le visage de Kovaliov. Il reconnut le nez, pointant, comme autrefois, au même endroit, comme si rien ne s'était passé, ce nez qu'il avait jeté au fleuve, de ses propres mains. C'était incompréhensible, mais, désormais, peu lui importait que ce le fût, car tout était rentré dans l'ordre.

Lorsqu'il fut rasé, Platon Kousmitch Kovaliov enfila son manteau et descendit se livrer sans retenue aux plaisirs de la rue : saluer d'un petit coup de chapeau les messieurs de sa condition, sourire et s'incliner devant les jeunes femmes et, pour peu que leur beauté fût avenante, entamer la conversation. Le sentiment de paraître normal lui fut une douce volupté.

Voilà ce qui s'est passé à Petersbourg entre le 25 mars et le 7 avril. Je vous l'ai raconté comme on me l'a raconté, ou à peu de choses près. Et s'il est vrai que l'on n'a jamais entendu parler d'un autre cas semblable à celui-là, je ne doute pas une seconde qu'il puisse s'en produire à tout moment. Comme dit l'homme de qui je tiens l'histoire, ce monde est absurde et, bien souvent, ce qui s'y produit manque de la plus élémentaire vraisemblance. C'est pourquoi je crois dur comme fer à ce que je viens de vous faire lire. J'y crois, c'est ainsi.